JN215128

まちをつくる くらしをまもる
公務員の仕事

2. 福祉・健康関連の仕事

協力：足立区役所　編：お仕事研究会

もくじ

●この本の使い方

おもな仕事の内容を、説明します。

役所内の部署名です。
（自治体によって、同じ仕事をしていても部署名が違ったり、担当する仕事のはんいがことなっていたりします。）

その部署の仕事内容を、くわしく解説しています。

ミニ知識では、この項目で出てくる用語や仕事内容をおもに説明しています。

この部署ではたらいている人に、インタビューをしています。

はたらいている人の部署名と名前です。
（所属は、2024年3月時点の情報です。）

コラムでは、業務に関連する内容について、情報を補ってくれます。

実際にはたらいている人が「心がけていること」を聞きました。

●区役所の本庁舎と、各部署

　足立区の場合、中央館、南館、北館の３棟からなる本庁舎のほか、区内の各所に区民事務所や、福祉事務所などがあっていろいろな手続きをすることができます。ほかに、図書館や清掃事務所、保健所などのように、本庁舎の外にあって、さまざまな仕事をしている部署があります。また、区内には67校の区立小学校と、35校の区立中学校、区立保育所や認定こども園もあります。

　足立区内にある警察署や消防署は、足立区ではなく東京都に属する組織ですが、区と連けいしてさまざまな仕事をしています。

● 足立区役所 本庁舎

北館

	エコガーデン	
4階	都市建設部	都市建設課
		事業調整担当課
		高台まちづくり担当課
		ユニバーサルデザイン担当課
		交通対策課（3巻）
		駐輪場対策担当課
	道路公園整備室	道路公園管理課
		安全設備課
		職員労働組合
3階	政策経営部	区民の声相談課 区民相談室（1巻）
	道路公園整備室	東部道路公園維持課（3巻）
		西部道路公園維持課
		パークイノベーション推進課
		道路整備課（3巻）
2階	区民部	国民健康保険課（1巻）
		高齢医療・年金課（1巻）
	あだちワークセンター（ハローワーク足立）	
	喫茶室	
1階	福祉部	福祉管理課
		障がい福祉課
		障がい援護担当課
	高齢者施策推進室	高齢福祉課
		地域包括ケア推進課
		介護保険課
	ATMコーナー	
	北館案内	
B1階	総務部	総務課（車両計画担当）
	食堂	
B2階	駐車場	

中央館

8階	区議会	議場傍聴席
		特別委員会室
	特別会議室	
7階	区議会	議場
		委員会室
6階	区議会	議長室
		副議長室
		各党控室
		区議会控室
		区議会事務局
5階	政策経営部	ICT戦略推進担当課
		情報システム課
4階	建築室	建築審査課
		建築防災課（3巻）
		開発指導課
		建築調整担当課
		住宅課
		区営住宅更新担当課
3階	福祉部	親子支援課 豆の木相談室
	子ども家庭部	子ども施設指導・支援課
		子ども施設運営課
		私立保育園課
		子ども施設入園課（4巻）
2階	政策経営部	区政情報課
		区政資料室
		産業情報コーナー
	庁舎ホール	
1階	区民部	課税課（1巻）
		納税課
		特別収納対策課
	区民ロビー・赤ちゃん休憩室・喫茶コーナー	
	中央館総合案内	
B1階	施設営繕部	庁舎管理課
	夜間休日受付	
B2、3階	駐車場	

南館

階	部	課	課
14 階	展望レストラン		
13 階	大会議室		
12 階	会議室		
11 階	総務部	契約課	入札室
		特命・調査担当課	
	ガバナンス担当部	ガバナンス担当課	コンプライアンス推進担当課
	環境部	環境政策課	ごみ減量推進課
		生活環境保全課	
	社会福祉法人	足立区社会福祉協議会	
10 階	総務部	人事課	
9 階	政策経営部	政策経営課	SDGs 未来都市推進担当課
		基本計画担当課（1 巻）	財政課
		報道広報課（1 巻）	シティプロモーション課
	エリアデザイン推進室	エリアデザイン計画担当課	
	あだち未来支援室	協働・協創推進課	子どもの貧困対策・若年者支援課
	総務部	総務課	資産管理課
		資産活用担当課	
	公共施設マネジメント担当部	公共施設マネジメント担当課	
8 階	区長室（1 巻）	区長室	副区長室
	総務部	秘書課	庁議室
7 階	危機管理部	危機管理課	犯罪抑止担当課
	総合防災対策室	災害対策課（3 巻）	防災力強化担当課
		調整担当課	
		防災センター	
	施設営繕部	東部地区建設課	西部地区建設課
6 階	教育委員会	教育長室	
	教育指導部	教育政策課	
	学校運営部	学校支援課	
	子ども家庭部	子ども政策課（4 巻）	青少年課（4 巻）
	行政委員会	選挙管理委員会事務局	監査事務局
5 階	教育指導部	学校 ICT 推進担当課	学力定着推進課
		教育指導課	
	学校運営部	学校施設管理課	学務課（p.30）
		おいしい給食担当課	
	施設営繕部	中部地区建設課（3 巻）	施設整備担当課
4 階	産業経済部	産業政策課	企業経営支援課
		産業振興課（1 巻）	
	都市建設部	まちづくり課（3 巻）	
		中部地区まちづくり担当課	
		千住地区まちづくり担当課	
	鉄道立体推進室	鉄道関連事業課	
	一般財団法人	足立区観光交流協会	
	行政委員会	農業委員会	
3 階	地域のちから推進部	地域調整課	住区推進課
	生涯学習支援室	地域文化課	生涯学習支援課（p.38）
		スポーツ振興課（p.42）	
	絆づくり担当部	絆づくり担当課	
	公益財団法人	足立区体育協会	
2 階	衛生部	衛生管理課	データヘルス推進課
		こころとからだの健康づくり課（p.22）	保健予防課
	会計管理室	会計管理室	
	指定金融機関・ATM コーナー		
1 階	区民部	戸籍住民課（1 巻）	
	南館案内		
B1 階	電気諸室		
B2,3 階	駐車場		

●その他

小学校（4 巻）
特別支援学級（4 巻）

中学校（4 巻）

区立保育所（4 巻）

障がい福祉センターあしすと (p.6)
　　理学療法士 (p.10)
　　言語聴覚士 (p.14)
　　社会福祉士 (p.8)
　　作業療法士 (p.12)
　　臨床心理士 (p.16)

足立保健所 (p.34)
保健センター (p.26)

清掃事務所（3 巻）

中央図書館（4 巻）

郷土博物館（4 巻）

足立福祉事務所
福祉課 (p.18)

警察署（5 巻）

消防署（5 巻）

▨ は足立区以外の組織です。

（※掲載されている情報は、
2023年4月現在のものです。）

障がい者のための相談・支援の仕事

障がい福祉センターの仕事は、市区町村によって違いがあります。ここでは、足立区の「障がい福祉センター あしすと」の仕事を紹介します。

「障がい福祉センター あしすと」の取り組み

障がい福祉センター（身体障がい福祉センター、障がい者福祉センターなどともいいます）は、障がいのある人（子ども）が、自分の力で生活し、社会に参加できることをめざして、さまざまな相談を受けたり、機能を回復する訓練などを行う施設です。

1 自立にむけた支援—自立生活支援室

自宅で生活している障がい者に対し、さまざまな相談や福祉サービス、専門施設を利用するための援助、自立した生活にむけた支援を行っています。

【おもな職員】相談員（ソーシャルワーカー）が中心となり、理学療法士、作業療法士、言語聴覚士、臨床心理士など。

2 体の機能を訓練する—社会リハビリテーション室

身体障がいや高次脳機能障がいの人に対して、機能訓練や生活訓練を行っています。

障がいの内容に合わせて、以下のコースがあります。

・リハビリコース：週2日：通所期間12カ月

・個別支援コース：週1日：通所期間18カ月

・視覚障がい支援コース：週1日：利用期間最長18カ月

・聴覚障がい支援コース：週1日：利用期間最長18カ月

【おもな職員】訓練は、理学療法士、作業療法士、言語聴覚士、視覚や聴覚の専門講師が担当します。そのほか、看護師、相談員（ソーシャルワーカー）。

3 子どもの発達を支援する—幼児発達支援室

満2歳から6歳（就学前まで）の、発達におくれや課題のある子どもやその家族に対して、支援を行っています。

足立区障がい福祉センターあしすと

おもな支援には、以下のものがあります。
・集団通所指導：週5日間（平日）のうち、年齢や発達状況に合わせて指定日に1クラス10名の集団通所指導を行う。
・親子グループ指導：親子で活動に参加し、グループによる遊びを経験する。保護者からの相談にも応じている。
・外来指導：子どもの発達の状況にあわせて、一人ひとりに指導を行う。
・保育園などへの訪問支援：保育園や幼稚園などに職員が訪問して、集団生活ができるように指導する。
【おもな職員】保育士、臨床心理士、言語聴覚士、作業療法士。

★4 さまざまな支援

ほかにも、障がい者が、仕事につくための相談や、仕事を探すための支援、安心してはたらき続けるための支援、家庭や地域で生活していくことをめざした支援などを行っています。

また、障がい者をささえる家族や介護をする人たちが、情報を集めたり、勉強できたりする機会をつくっています。

★5 専門の資格をもった職員

「障がい福祉センター あしすと」には、次のような専門の資格をもった職員がはたらいています。
・社会福祉士：相談員（ソーシャルワーカー）
・理学療法士：立つ、歩くなど基本的な動作にかんする機能訓練を行う
・作業療法士：毎日の生活に必要な動作の練習などを行う
・言語聴覚士：話す、聞く、食べる（安全に飲み込む）などの訓練を行う
・臨床心理士：成長や発達にかんする支援を行う
　そのほかにも、専門の資格をもった人が、必要な場面で障がい者の支援を行っています。

★6 チームで障がい者（児）をささえる

障がいのある人（子ども）が望んでいることに合わせて、支援の内容を考えていくことが大切です。そのために、職員は、チームで障がい者をささえるという意識をもってはたらいています。

● チームで障がい者（児）をささえる

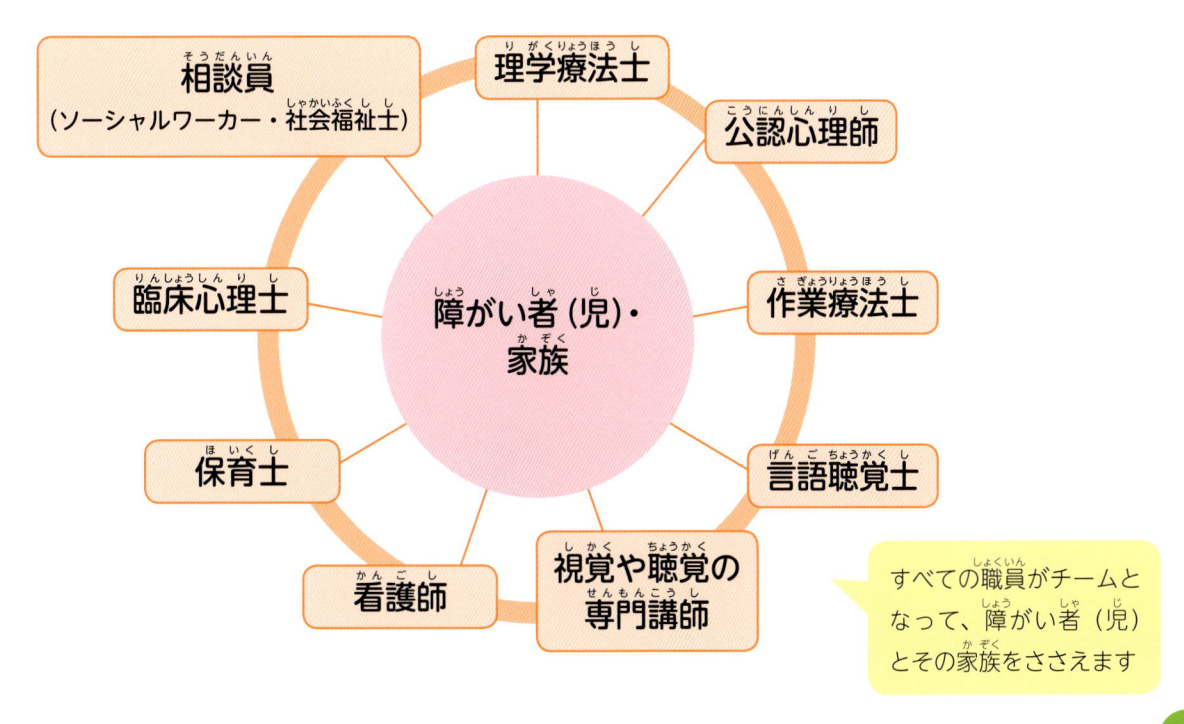

相談員（ソーシャルワーカー・社会福祉士）／理学療法士／公認心理師／臨床心理士／障がい者（児）・家族／作業療法士／保育士／言語聴覚士／看護師／視覚や聴覚の専門講師

すべての職員がチームとなって、障がい者（児）とその家族をささえます

自立生活支援室－相談員（ソーシャルワーカー）

施設を利用するときは、まず、最初に自立生活支援室に相談をします。

⭐1 相談員について

相談を受けるのは、相談員（ソーシャルワーカー）という職員です。そのなかでも、社会福祉士とよばれる福祉の相談や援助にかんする専門の知識や技術をもった人が相談の中心的な役割を担っています。

さらに、専門的な相談は、理学療法士、作業療法士、言語聴覚士、臨床心理士などの資格をもった相談員が対応します。

また、障がい者の相談員（ピアサポーター）が相談を受ける活動「ピアサポート」も行っています。同じ障がいのある方からのアドバイスで、利用者をささえます。

⭐2 相談を受ける

自宅に住んでいる身体障がい、知的障がい、発達障がい、高次脳機能障がいのある方や、難病のある方から相談を受けます。また、家族から相談を受けることもあります。

相談内容に応じて、利用できる福祉サービスを提案したり、福祉の専門家や医師への相談につなげたり、専門施設に紹介したりします。

⭐3 聞く・見ることにかんする相談と支援

「聞こえにくい」「見えにくい、読みにくい」という相談に対して、検査を行ったり、補聴器や白杖のような補助具を紹介したりします。

● 相談の例

・急に目が見えなくなってきました／だんだん見えなくなってきました
・最近、耳が聞こえにくくなってきました
・障がいのことが、よくわかりません
・地域でどう生活していけばよいのか不安です
・よい用具はありますか？　など

● 聞こえの相談

聞こえ方に合わせたアドバイスをもらえるほか、補聴器をためすことができます

● 視覚用具の相談

白杖（白い杖）のほか、文字を拡大するルーペなど、さまざまな補助具があります

📖 コラム　障害と障がい

● 障害と障がいは、同じ言葉ですが、「害」という漢字に、よくないイメージをもつ人がいます。

障がいのある人が「害」ではないということをわかってもらうために、障がいと書くところが増えています。足立区でも、基本的には「障がい」を使っています（障がい者、視覚障がいなど）。

障がい者からの相談を受ける仕事

障がい福祉センターの望月翔太さん

Q1 | 専門職になるためにどんな勉強をしましたか?

A 社会福祉士の資格を取得

社会福祉士の資格をとるために、福祉サービスや福祉にかんする法律を勉強しました。そのほかにも、福祉施設や被災地に行って、支援活動を行いながら、援助する立場の考え方や心がまえなどを学びました。

Q2 | どんな業務をしていますか?

A 相談を受け、支援につなげる

相談者は、障がいがあることを受け入れることができなかったり、周りの人と違うのではないかなど、さまざまな悩みを抱えています。私たちは、そうした悩みや不安を聞き、本人が希望する生活を実現させるためにできることを、一緒に考えていきます。

また、相談内容によっては、障がい福祉センターだけでなく、ほかの部署や民間の施設などとも協力して、支援していくことになります。そのための橋わたし役も、重要な仕事のひとつです。

Q3 | 仕事のやりがいを感じるときは、どのようなときですか?

A 相談者が充実した生活を送れるようになったとき

相談窓口に来てはみたものの、相談にあまり乗り気ではなかった方が、話し終わったときに、前向きに考えるようになっただけでも、とてもホッとします。

また、相談に来たときは、障がいがあることで、生活に不満があった方が、悩みを話したり、福祉サービスを受けたりしたことで、その後、充実した仕事や生活を送れるようになったのを見たとき、人には困難を乗り越える能力が備わっているのだと感じます。そうした経験が、やりがいにつながっています。

☆ 心がけていること

相談者と同じ立場で、一緒に考えていくこと

「支援すること」と「おせっかいをやくこと」は違います。「○○してあげる」という考え方や、その人のためだと勝手に決めつけるのは、おせっかいです。相談者と同じ立場にたち、一緒に考えていく支援の仕方を心がけるのが、本人主体の支援だと考えています。

社会リハビリテーション室－理学療法士

社会リハビリテーション室では、18歳以上の身体障がいや高次脳機能障がいの方を対象に、社会で生活する力を高めて、自分にあった社会参加をめざして、機能訓練や生活訓練を行っています。

1 理学療法士とは

座る、立つ、歩くといった基本的な動作がうまくできない方に対して、その能力を回復させたり、低下させたりしないように、機能訓練を行う専門の資格をもった人です。

2 機能訓練の内容

障がいを抱えた方が、仕事に復帰しようとしたが、通勤がうまくいかない場合、次のような訓練を行います。

・通勤に必要な筋力や体力をつける
・歩いたり、階段の上り下りの練習をしたりする
・電車やバスに乗る練習をする　など

そのほかにも、足にまひがある方に対して、杖や、歩きやすくするために動きを補助する装具を考えます。

また、車いす生活の方が、長い時間座っていられない場合、次のことをします。

・おしりが痛いときは、どれくらい圧力がかかっているのか、測定器を使って調べる
・また定期的に立ち上がるなど、圧力を逃がす練習をする。
・その方にあった車いすのサイズや付属品、クッションなどを考える

3 作業療法士、言語聴覚士と一緒に進めていく

リハビリテーションは、理学療法士と作業療法士と言語聴覚士が、それぞれの役割を担当しながら、一緒に進めていきます。

理学療法士は、おもに足のリハビリテーションを行います

● リハビリコースの1日の内容例

1日のリハビリテーションは、理学療法、作業療法、言語療法が入ったプログラムで行っています。

＜午前＞	
30分間	運動のリハビリ（下半身・バランスの体操）
30分間	言語のリハビリ（グループコミュニケーション練習）
＜午後＞	
30分間	作業のリハビリ（上半身ストレッチ体操）
30分間	作業のリハビリ（創作活動やパソコン）
30分間	運動のリハビリ（器具を使った筋力トレーニングや歩行練習）

障がい者への機能訓練を行う仕事

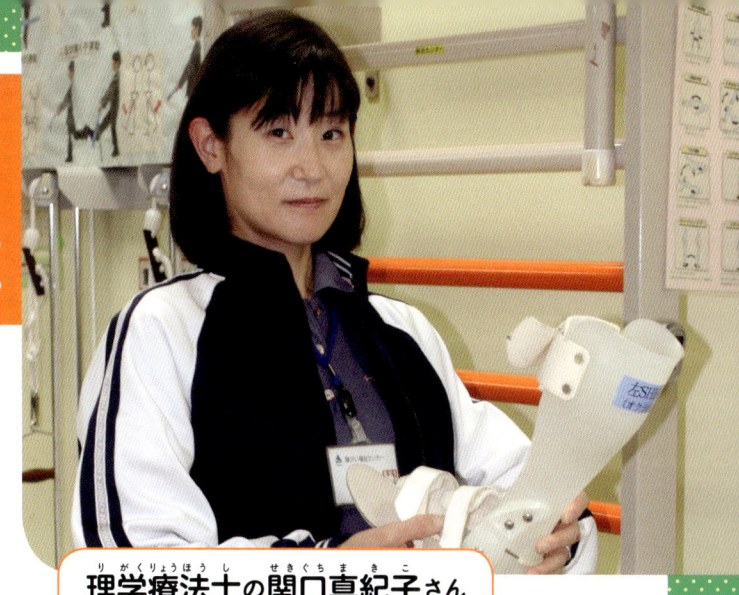

理学療法士の関口真紀子さん

Q1 公務員になろうとした理由は何ですか?

A 自分の知識や経験をいかす場として

私は、理学療法士の資格をとった後、臨時の職員として区役所で足や体の動きを補助する装具にかかわる仕事をしていました。そのとき、区役所で理学療法士の募集があったので、知識や経験をいかしたいと思い、公務員の道を選びました。

Q2 どんな業務をしていますか?

A 基本動作の練習などのリハビリテーション

脳の病気や交通事故でけがをして、障がいが残った方へのリハビリテーションを行っています。筋力トレーニングや基本的な動作の練習のほか、仕事の復帰や地域で暮らすために、実際に、電車やバスに乗ったり、買い物に行ったりする練習も行います。また、自宅で生活しやすいように、玄関などを改修するためのアドバイスも行います。

その人にあったリハビリテーションを考えるには、まず本人の希望をよく聞き、家族や介護にかかわる人たちと連絡を取り合いながら進めていくことが大切だと思っています。

Q3 特に印象に残っていることはありますか?

A 社会復帰できて自信がついたと言われたこと

脳の病気で、障がいが残った方に、歩く練習や電動車いすをすすめるなどアドバイスをして、仕事に復帰することができました。

ご本人から、「不安がなくなり、自信がつきました」と言ってもらったことがうれしく、今でも心に残っています。

☆心がけていること

(ほかの職種とともに、チームで取り組むこと)

障がいの種類はたくさんあり、同じ疾患でも症状は人によってさまざまです。このような人の状態をきちんと知るには、私一人の力では足りません。本人からの情報はもちろんですが、家族や介護にかかわる人、ケアマネージャー、医師や看護師、作業療法士、相談員などからの情報も大切です。そうした人たちと連絡を取り合いながら、チームとしてリハビリテーションを行い、地域でどう生活していくか検討していくことを心がけています。

社会リハビリテーション室ー作業療法士

社会リハビリテーション室で行う訓練のなかでも、生活訓練を担当しています。

★1 作業療法士とは

日常生活の動作や家事、芸術活動、遊びなどといった生活のなかにある作業や動作を用いて「その人らしい」生活を送るための援助を行う専門の資格をもった人。

力が入りにくい人用のはしやスプーンなどがあります

★2 生活訓練の内容

社会生活力の向上のため、生活に密着した動作の訓練を中心に行います。また、障がい者の方に趣味活動拡大を目的とした経験を提供したり、仕事に復帰したりするための訓練を実施することも大切な仕事です。

＜日常生活動作訓練＞

身辺動作の訓練です。たとえば、食事動作、排せつ動作、更衣動作、整容動作（洗顔、歯みがき、ひげそりなど）、入浴動作、移動動作の訓練を行います。

＜応用動作訓練＞

生活に必要な動作の訓練です。たとえば、買い物の訓練、掃除の訓練、調理訓練、洗たく訓練、スマホの操作訓練などさまざまな動作の訓練をさします。

＜趣味動作訓練＞

障がいがあっても楽しんで生活を送るための練習や情報提供を行います。たとえば、作業療法の時間に創作活動として、革細工、藤細工、木工、タイルモザイクなどを用いてリハビリを進めます。

＜復職や就労に向けた訓練＞

仕事にかんするリハビリを行います。たとえば、職業にかんする評価、パソコン操作、模擬的な作業場面での訓練を行っています。

✎ ミニ知識

リハビリテーション

リハビリテーションとは、病気やけがによって障がいを抱えた方が、社会に復帰するために行う機能訓練をさすことが多いのですが、もっと広い意味もあります。

リハビリテーションは、リ（re：再び）とハビリス（habilis：ふさわしい、適した）の2語に由来する言葉です。つまり、「再び、その人にふさわしい状態」になるための活動が、リハビリテーションなのです。

手や指のリハビリテーション

障がい者への生活訓練を行う仕事

作業療法士の七條美帆さん

Q1 公務員になろうとした理由は何ですか?

A 地域の障がい者のリハビリにかかわりたい

私の祖母が障がい者だったことで、昔からリハビリテーションの仕事に興味がありました。また、私自身が調理や工作などが好きだったので、作業療法士の資格をとりました。

最初は病院ではたらいていました。しかし、もっと幅広い年齢の方にかかわりたいと思うようになり、地域で生活する方をささえたいという気持ちもあったので、障がい福祉センターを選びました。

Q2 どんな業務をしていますか?

A 日常生活動作の訓練などのリハビリテーション

社会リハビリテーション室で、作業療法士として、日常生活や家事、社会生活の応用動作の訓練を行っています。たとえば仕事に復帰するための訓練や、創作活動などの作業をとおして機能を回復させる訓練などもふくまれます。また、利用者の状況や今後の訓練の方針などの話し合いでは、作業療法士として意見をのべたり、書類を作成したりします。そのほか、障がい者のご家族の支援も、大切な仕事です。

Q3 仕事のやりがいを感じるときは、どのようなときですか?

A 「できた!」という瞬間に立ち会ったとき

障がいを持つと、それまでできていたことができなくなります。仕事や家事、育児だけでなく、遊ぶときにも周りの人の援助が必要になることがあります。なかには、人間らしい生活をあきらめてしまう方もいます。でも、作業療法士としてかかわることで、あきらめていたことが「できた!」という瞬間に立ち会えることがあります。そのときに、やりがいを感じます。

☆ 心がけていること

話をよく聞く

対象者の話をよく聞くことを大切にしています。作業療法は、その人らしさを引き出す作業を提供して試行錯誤するなかで、できることを増やしていきます。まずは対象者の話をよく聞き、どのようなことが好きなのか、どんな人生を歩んできたのかを共有することに気をつけています。

社会リハビリテーション室ー言語聴覚士

社会リハビリテーション室で行う訓練のなかでも、言葉の訓練、記憶力や注意力を担当しています。

1 言語聴覚士とは

話す、聞く、食べる（安全に飲み込む）などの訓練を行う専門の資格をもった人です。

そのほか、耳が不自由な方への検査や訓練、お子さんの発達にかんする支援を行う専門の資格をもった人です。

2 言語訓練の内容

次のような言語障がいのある方に対して、グループで訓練します。

・声がうまく出ない、はっきりと言葉を発音できない、舌がもつれる（構音障がい）

・相手に言われたことがわからない、伝えたいことがうまく言えない（失語症）

病院のリハビリテーションでは、患者さんと言語聴覚士が一対一で訓練することが多くあります。一方、社会リハビリテーション室では、数人のグループをつくって訓練する「グループコミュニケーション」という方法を取り入れています。その場合、言語聴覚士は、テーマを出したり、進行役をしたりして、グループで会話が進むようにうなが

します。

また、高次脳機能障がいの方に対して、作業療法士と協力しながら、記憶力や注意力をよくするための脳のトレーニングを行います。

そのほか、食べ物をうまく飲み込めない（嚥下障がい）方に対して、栄養士と相談して食べ物の大きさややわらかさなどを工夫するほか、とろみのついた飲み物などを提供しています。

お店で、注文したい商品を伝えたり、店員と上手にコミュニケーションをとったりする練習も行います

✎ ミニ知識

高次脳機能障がい（害）

脳の病気や交通事故などが原因で、脳の一部が傷つき、言葉や記憶力、考える力、注意力などがうまくはたらかない状態をいいます。高次脳機能障がいの人は、外見は障がいがある

ように見えないため、周りの人に障がいを理解してもらえないことがあります。また、本人も障がいがあることをよくわかっていない場合があります。

その方の障がいの状態にあわせたリハビリテーションによって、脳の機能を回復させることが可能です。

障がい者への言語訓練を行う仕事

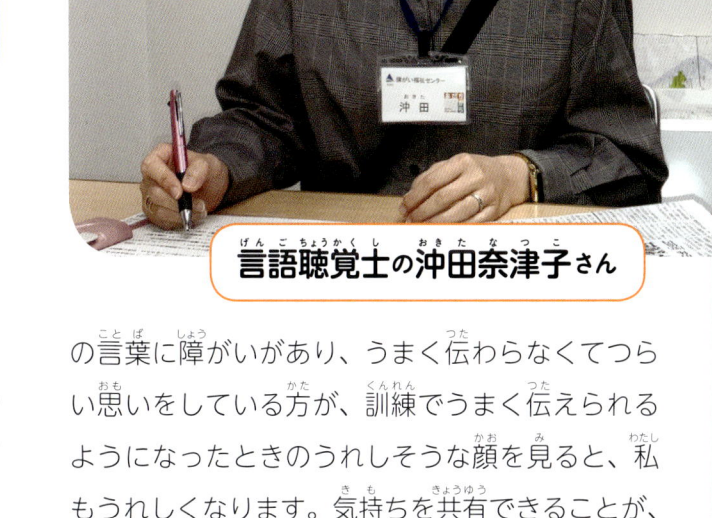

言語聴覚士の沖田奈津子さん

Q1 どんな業務をしていますか？

A 言語の訓練などのリハビリテーション

社会リハビリテーション室で、言語聴覚士として、構音障がいや失語症などで言葉に障がいをもった方や、高次脳機能障がいの方の訓練を行っています。具体的には、同じ障がいのある方どうしでグループを組んで、会話をする時間をつくって練習します。利用者どうしが自然に会話を始める場合もあれば、私のほうからテーマを出して話し合ってもらう場合もあります。

たとえば、その日のニュースを用意し、「みなさん、どう思いますか」と投げかけて、利用者どうしで意見を出し合ってもらいます。

Q2 仕事のやりがいを感じるときは、どのようなときですか？

A うれしい気持ちを利用者と共有できるとき

言葉は、気持ちや出来事を伝える手段です。その言葉に障がいがあり、うまく伝わらなくてつらい思いをしている方が、訓練でうまく伝えられるようになったときのうれしそうな顔を見ると、私もうれしくなります。気持ちを共有できることが、やりがいにつながっています。

Q3 特に印象に残っていることはありますか？

A 接している方が積極的になったこと

社会リハビリテーション室に通い始めたときには、言葉が出なくて人とのかかわりを避けていた方が、同じ障がいをもった方と接するうちに、どんどん積極的に変わっていく様子が、とても印象に残っています。

☆心がけていること

本人の伝えようとする思いを大切にする

利用者が、言葉でうまく伝えられなくても、私には「本当はこういうことかな」とわかることがありますが、その時は口をはさまず、本人の伝えようとする思いを大切にしています。

また、失語症がある方の特徴として、思っていることとちがう言葉が出てしまうことがあります。本当は何を言いたかったのか、本人の思いをくみとったうえで、相手に正しく伝えるための支援を心がけています。

幼児発達支援室－臨床心理士

幼児発達支援室では、満2歳から6歳までの未就学（小学校入学前まで）の子どもの発達の状況にあわせて、臨床心理士が、発達をうながす支援を行っています。

⭐1 臨床心理士とは

人の心にアプローチして、その人らしく生きられるようにお手つだいする心の専門家です。

発達のおくれやかたよりがある子どもは、一人ひとり成長や発達のしかたが違います。また、2歳から6歳までの小さな子どもは、言葉でうまく伝えられないので、ふだんの様子や表情から、気持ちを理解してあげることが大切です。臨床心理士は、人の心や発達（成長）が専門なので、子どもの発達にあわせた支援を行うことができます。

⭐2 指導の内容

子どもが、将来、学校や社会で自立した生活を送れるように、さまざまな指導を行います。

りんごの絵カードを見せて、子どもから「りんご」という単語を引き出す練習です。見たものと単語をつなげる力をつけます。
単語がうまく出てこないときは、臨床心理士が「りんご」と言い、子どもにまねをしてもらいます。聞くことから単語につなげる方法です。
聞いたことをまねして言うことも、言葉が出るための大事なステップです

子どもと臨床心理士が一対一で行う指導方法では、絵カードを使って言葉を引き出したり、臨床心理士がつみ木で作った形を、子どもに作ってもらったりします。こうして成功体験を増やしていくことで、自信をつけていくことができます。

また、数人でグループをつくって、遊んだり、ゲームをすることで、他人とのかかわり方や気持ちをコントロールする方法などを身につけます。

⭐3 保護者への支援も大切

子どもの発達にかんして、心配や不安をもっている保護者の相談にのったり、育児のアドバイスを行ったりしています。

⭐4 保育園、幼稚園などと連絡をとりあう

幼児発達支援室に通う子どものなかには、地域の保育園や幼稚園にも通っている子どもがいます。その場合は、施設と連絡を取り合ったり、直接訪問して、どのような生活をしているか、困っていることはないかなどを聞き、幼児発達支援室での様子も伝えながら、一緒に子どもの発達支援を考えていきます。

臨床心理士がつみ木の見本を作り、子どもにまねしてもらいます。
見たものを同じように作るのも大切な訓練です

子どもの発達をうながす仕事

臨床心理士の松山里佳さん

Q1 公務員になろうとした理由は何ですか？

A フルタイムでかかわれる立場になりたい

私は、臨床心理士の資格をとった後、限られた時間だけはたらく非常勤職員として、学校のカウンセラーなどをしていました。しかし、限られた時間ではできることが少なかったので、もっとかかわりをもちたいと、フルタイムの公務員を選びました。

Q2 どんな業務をしていますか？

A 子ども一人ひとりにあわせた指導

幼児発達支援室のなかでも、特に一対一の支援を行っています。子ども一人ひとりの発達の特徴にあわせたおもちゃや教材を選んで、言葉の表現力を伸ばしたり、他人とうまくかかわったりするための指導を行っています。

保護者からは、発達の質問や育児の相談なども多く受けます。話をじっくり聞き、安心して子育てをしてもらえるようアドバイスしています。

保育園や幼稚園との連絡、発達の検査にかんする書類づくりなどの仕事もあります。

Q3 仕事のやりがいを感じるときは、どのようなときですか？

A 保護者に子どもの成長を喜んでもらえたとき

子どもの発達や成長のスピードは一人ひとり違いますが、幼児発達支援室に来て、ほんの数カ月で、おどろくほど成長する子どももいます。保護者の方からも、「○○ができるようになりました」「ここに来てよかった」と喜んでもらえると、子どもの成長のお手伝いができているのだと、やりがいを感じます。

☆ 心がけていること

できることを増やしていくこと

センターには、いろんな大人がいるので、建物に入ったとたん緊張してしまう子どもがいます。子どもに安心できる場所と思ってもらえるように、入口で笑顔で迎えるようにしています。

また、指導のときに、子どもに能力以上のことを求めてしまうと、「もうやりたくない」と思われてしまいます。できないことよりも、できることを増やすことが、成長につながるので、子どものよいところを伸ばす指導を心がけています。

福祉にかかわる仕事

福祉事務所 福祉課

生活上の悩みや問題を抱えた方が、相談できる窓口が福祉事務所です。

福祉にかんする相談や申請受付を行う

役所の福祉事務所は、生活に困っている方をささえるための仕事を行うところです。さまざまな福祉サービスにかんする相談や申請の受付を行っています。

① 福祉事務所は地域ごとにある

福祉事務所は、区や市の大きさにあわせて設置され、地域ごとに担当が分かれています。足立区の場合は福祉事務所のなかに6つの福祉課をつくり、担当の地域を決めています。

福祉事務所では、ケースワーカー、相談員、事務職員などがはたらいています。

② 生活に困っている人にかんする相談

福祉事務所では、生活する上で困っていることについて相談することができます。

相談内容にあった福祉サービスの申請を受付けていますが、実際にサービスを行うのは、ほかの部署が担当します。

*高齢者：高齢者本人だけでなく、高齢者を介護している家族からの相談も受けます。

*障がい者：体や精神に障がいがある方から、日常生活や社会生活の相談を受けます。

*児童福祉：子どもを出産するときの費用や、子どもの医療費についての相談を受けます。

*ひとり親家庭：母親または父親のどちらかの親と、その子どもがいる家庭から、子どもの学校の費用などの相談を受けます。

*低所得者：収入が少なく生活に困っている方から、生活保護などの相談を受けます。

● 相談と支援の例

相談内容		支援した内容
経済的に困っています	▶	病気ではたらけないなどの理由で経済的に困っている方に、生活保護制度などを案内しました
高齢者の介護が必要になりました	▶	介護保険の要介護認定や、介護保険以外の高齢者サービスなどを案内しました
パートナーから暴力を受けています	▶	パートナーや恋人からの暴力などの悩み相談に応じます
出産費用に困っています	▶	前もって申請して費用を助成する「入院助産制度」を案内します
ひとり親家庭のため悩みがあります	▶	19歳以下の子どもがいる母子・父子家庭に、子どもの学校の費用などを貸し付ける制度を案内します

あだち広報 2023年8月10日号から改変引用

生活保護についてくわしく知ろう

福祉事務所が受ける相談のなかに、生活保護の申請があります。生活保護についてくわしく知っておきましょう。

③ 生活保護の申請は国民の権利

日本の憲法では、「すべて国民は、健康で文化的な最低限度の生活を営む権利を有する。」（日本国憲法第25条）と定められています。

生活保護は、生活に困っている方に対して、憲法が定めている「健康で文化的な最低限度の生活」を保障し、自立した生活ができるよう支援していく制度です。

④ 生活保護を受ける人

生活保護は、病気や高齢などではたらけなくなるなど、生活に困っている方に、必要なお金や医療などを支給します。生活に困っているかどうかの判断は、国が決めた最低生活費が基準になります。

生活保護が必要と判断されたら、最低生活費よりも不足する金額（保護費）が支給されます。

⑤ 生活保護の種類、制度

生活を送るために必要な費用として、生活、住宅、医療、出産、教育、介護など、種類ごとに決められた額の生活保護費が支給されます。

また、生活保護を受けている方は、国民年金の保険料や税金、水道料金などが減ったり、支払わなくてもよい制度もあります。

⑥ 生活保護の決まり

生活保護を受けている方は、守らなければならないことがあり、守らなければ、生活保護が受けられなくなる場合があります。

・はたらくことができるようになったら、はたらくこと

・健康に心がけ、病気の人は治療を受けること

・収入があったとき、資産を得たときなどは、届け出ること

・ケースワーカーの家庭訪問を受けること

● 生活保護が受けられる、受けられない場合

＜保護が受けられる場合＞

最低生活費	
収入（認定額）	保護費

＜保護が受けられない場合＞

最低生活費
収入（認定額）

収入が最低生活費を超えた場合は、生活保護を受けることができません

✏️ ミニ知識

生活保護法

生活保護法は、昭和21年（1946年）につくられましたが、昭和25年に日本国憲法第25条にもとづいた内容に改正されました。

＜生活保護法　第1条＞

この法律は、日本国憲法第25条に規定する理念に基き、国が生活に困窮するすべての国民に対し、その困窮の程度に応じ、必要な保護を行い、その最低限度の生活を保障するとともに、その自立を助長することを目的とする。

ケースワーカーの仕事についてくわしく知ろう

福祉事務所ではたらくケースワーカーの仕事について、見てみましょう。

 7 生活保護の申請を受ける（総合相談係）

生活に困った方の相談を受けるのは、総合相談係です。本人が相談に来るほか、家族や親せきなどが相談に来ることもあります。また、介護を受けている高齢者や病気の方を支援しているケアマネジャーから相談を受けることもあります。

8 審査を行う（保護係）

生活保護が受けられるかどうかは、審査で決まります。審査のために、ケースワーカーが収入、貯金、財産などを調べます。また、保護係のケースワーカーが実際に家を訪問して、生活状況を確認します。

申請を受けてから2週間以内に審査の決定を行います。

 9 生活保護ケースワーカーの仕事

ケースワーカーは、おもにつぎのような仕事を行っています。

・相談を受けて生活保護が必要かを調べる
・家庭訪問を行う
・生活保護費を計算する
・ほかの部署と連絡を取り合いながら、生活保護受給者の援助を行う

10 福祉サービスの提供を行う

ケースワーカーは、生活保護を受けている方の生活が安定して自立できるように、さまざまな福祉サービスを提供します。

電話や窓口での面接や自宅への訪問により、困っていることや健康状態などを聞き、必要なサービスやアドバイスを行います。

仕事探しを一緒に考えるなど、自立にむけた指導も大切な仕事です。

11 書類づくり、連絡係

生活保護を受給している方が、入院や介護施設に入ると、支給する金額が変わります。その書類をつくったり、手続きを行います。

また、病院や介護施設など、地域の施設と連絡を取り合うのも、ケースワーカーの役目です。

コラム

生活保護の不正受給

● 生活保護を受けている間に、収入があった、一緒に住む人が増えた・減ったなど、生活で変化があったときは、福祉事務所に届け出ます。ところが、黙ってそのまま支給を受け続けたり、うその申請をする方がいます。これが不正受給です。

● 福祉事務所の調査で不正受給が見つかったら、お金を返さなければならず、また生活保護が受けられなくなる可能性があります。悪質な場合は、「詐欺」として逮捕されることもあります。

生活保護は、本当に困っている方に必要なものです。それが一部の方によって、良くないイメージとなるのは、絶対に避けなければなりません。

ケースワーカーは、定期的に家庭訪問を行います

ケースワーカーの仕事

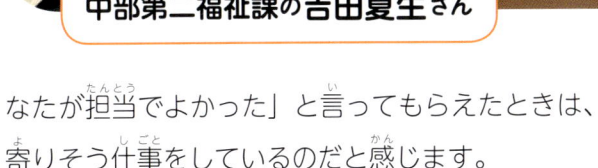

中部第二福祉課の吉田夏生さん

Q1 | どんな業務をしていますか？

A 高齢者の生活保護を担当

私は、高齢者で生活保護を受けている方を担当しています。窓口や電話で受給者と面接を行い、困りごとなどの相談を受けたり、必要な福祉サービスを提供したりしています。また、定期的に家庭訪問して、暮らしの状況を確認したうえで、その方に必要な支援を一緒に考えていきます。

また、毎月支給される生活保護費にかんする書類をつくるほか、受給者が通院・入院している病院や介護施設と連絡を取り合うこともあります。

Q2 | 仕事のやりがいを感じるときは、どのようなときですか？

A 寄りそった支援ができたとき

受給者から相談を受けたときや、福祉サービスが受給者の役に立ったときに、「ありがとう」「助かりました」という言葉をいただくと、ケースワーカーとして役立てたのだと実感します。また、「あ

なたが担当でよかった」と言ってもらえたときは、寄りそう仕事をしているのだと感じます。

ケースワーカーは、さまざまな場面で、感謝の言葉をいただくことが多く、人の役に立っていると実感できる仕事だと思います。

Q3 | 印象に残っていることはありますか？

A ほかの施設と力をあわせて、福祉サービスが利用できるようになったこと

住み慣れた地域で暮らしつつ、ひとり暮らしに不安を感じている高齢者も多くいらっしゃいます。そうした方からの相談を受け、介護施設の方と協力して、無事に介護サービスを受けられるようになったときは、とても安心しました。

受給者からの「一人で悩んでいたが、相談してよかった」という言葉が印象に残っています。

☆ 心がけていること

相談しやすい雰囲気づくり

生活保護の受給者は、いろいろな困りごとを抱えているので、気軽に相談してもらえる雰囲気づくりが大切です。

接客マナーには、とても気をつけています。私より年上の方が多いので、きちんとした挨拶とていねいな言葉づかいを心がけています。

また、電話では顔が見えないので、声の調子にも気をくばっています。そうした対応が、よい雰囲気づくりにつながると思っています。

健康づくりにかかわる仕事

住民が健康で豊かな生活を送れるよう、住民、お店、企業、団体、そして役所が一体となって、健康づくりに取り組んでいます。

こころの健康、からだの健康を支援する

足立区では、「こころとからだの健康づくり課」という部署の名前ですが、他の市区町村では「健康づくり課」というところもあります。

からだの健康づくり

市区町村では、住民の健康を考えて、健康増進計画がつくられています。足立区では、「健康あだち21」という名前がついています。

この計画は、国民が健康な生活を送れるよう健康づくりを進めていくために、国が定めた「健康増進法」に基づいています。

平成14年にスタートした頃は、住民一人ひとりにむけた健康づくりが中心でした。現在は、次の段階として、「住んでいるだけで自ずと健康になれるまち」をめざし活動に協力してくれるお店や企業、団体などを増やして、一緒にプロジェクトを進めていくことに力を入れています。

糖尿病の予防

また、健康づくり活動のなかでも、各市区町村はそれぞれ事情にあった取り組みを行っています。足立区では、とくに糖尿病の予防に力を入れています。

こころの健康（自殺対策）

足立区では、全国のなかでも先駆けて自殺対策の専門部署を設置し、生きるための支援にも力を入れています。それが、こころとからだの健康づくり課のなかの「こころといのち支援係」という部署です。ここでは、ゲートキーパーを養成したり、さまざまな悩みに応じた相談窓口を案内して、自殺者の減少をめざしています。

✏ ミニ知識

ゲートキーパー

ゲートキーパーとは、「身近な人の悩みや自殺のサインに気づき、声をかけ、必要な支援につなぐ人」のことです。「いのちの門番」ともいえます。

こころとからだの健康づくり課では、身近な人のこころといのちをささえるために、自殺のサインに気づくための知識や、専門機関へつなぐ方法を学ぶための研修会を開催しています。

糖尿病対策についてくわしく知ろう

「健康あだち21」では、さまざまな健康対策を行ってきましたが、より効果的に進めるために、平成25年度から足立区の健康課題となっていた糖尿病にしぼって、対策を強化することにしました。

こころとからだの健康づくり課では、「あだち ベジタベライフ〜そうだ、野菜を食べよう〜」というキャッチコピーをつくり、野菜にかんするイベントの開催や、チラシを作成して、糖尿病の予防をPRしています。

4 足立区の糖尿病事情

足立区民の健康状態を調べたところ、平成22年の健康寿命が東京都の平均よりも2歳短いことがわかりました。また、糖尿病で病院にかかる人の割合が、23区でもっとも多いこともわかりました。つまり、糖尿病が、足立区民の健康寿命を短くしている原因のひとつになっていることがわかったのです。

5 糖尿病対策

「糖尿病対策」のポイントは、次の4つです。

1. 野菜を食べやすい環境づくり
2. 子ども家庭の望ましい生活習慣の定着
3. はたらき世代の健康づくり
4. 糖尿病を重症化させない

6 野菜で糖尿病を予防する

糖尿病予防として、足立区が着目したのが、野菜です。野菜から食べると、血糖値が上がりにくくなり、糖尿病の予防につながります。そこで、「あだち ベジタベライフ」という足立区独自の対策を始めました。

7 大きな成果—健康寿命がのびた

「あだち ベジタベライフ」に取り組み始めてから、さまざまな成果があらわれてきました。もっとも大きな成果は、足立区民の健康寿命が、令和2年までの10年間で約2歳のびて、東京都の平均との差が縮まったことです。

● さまざまな成果

- 野菜から食べる区民が増えた
- 子どもが野菜を食べる量が増えた
- 重い糖尿病になる区民が減った
- 健康に気をつける区民が増えた
- 区民の健康寿命が2歳のびた←最大の成果

コラム

野菜と糖尿病

糖尿病は、血液のなかの糖分（血糖）が増えすぎて起こる病気です。野菜には、食物せんいという成分がたくさん含まれています。野菜から食べると、食物せんいが、血糖値の上昇を抑えてくれます。

また、野菜をよくかんで食べることで、食べすぎがなくなり、肥満を防げます。肥満の方は、糖尿病になりやすいことがわかっているので、糖尿病の予防になるのです。

「あだち ベジタベライフ」の取り組み

「あだち ベジタベライフ」のなかでも、こころとからだの健康づくり課がかかわっている取り組みの一部を紹介します。

⑧ 協力店と一緒に活動

「あだち ベジタベライフ」に協力してくれる八百屋さん、飲食店、スーパー、コンビニエンスストアなどを増やしています。

● ベジタベライフ協力店

- 野菜や野菜の惣菜を販売している八百屋さんやスーパーマーケットなど
- 野菜たっぷりメニューを提供している飲食店など
- 食前ミニサラダなどのベジ・ファーストメニューを提供している飲食店など

地元のスーパー。登録した店では、のぼりを店頭に置いたり、ステッカーを商品やメニューに貼ったりしています

● 6月食育月間でのイベント例

各種イベントなどに出張して、広報活動を行っています

⑨ 野菜を使ったレシピの作成

野菜をおいしく、簡単に作れるベジレシピを作成しています。ベジレシピは、インターネットのレシピサイトにある「東京あだち食堂」で見ることができます。電子レンジだけでできるレシピや、100円以内でできる節約レシピなどがたくさん載っています。https://www.city.adachi.tokyo.jp/kokoro/fukushi-kenko/recipe/vegetables-recipe-toppage-261226.html

● レシピ例

「ベジ♪小松菜のコーンバター」は、サイトで人気のメニューです

⑩ 子どもから家庭の習慣に

「ひと口目は野菜から」を家庭の食事でも習慣づけてもらうことをめざしています。

たとえば、学校給食で「ひと口目は野菜から」と声かけをしてもらったり、幼稚園で野菜の良さを知ってもらう栄養教室を開いたりする活動を行っています。

家庭でひと口目は野菜から食べたらシールをはる「チャレンジシート」

こころとからだの健康づくり課

ベジタベライフを進める仕事

こころとからだの健康づくり課の石黒みのりさん

Q1 | どんな業務をしていますか?

A 野菜を食べる環境づくり

「野菜を食べやすい環境づくり」を進める仕事をしています。野菜を食べると病気の予防になるため、環境を整えることで「住んでいるだけで、自ずと健康になれるまち」をめざしています。

おもな仕事は、ベジタベライフ協力店を増やすこと、さらにベジタベライフ協力店と一緒に、イベントを開催して、「野菜から食べる」ことを、住民に広く知らせています。そのほかにも、SNSやチラシを使って、簡単につくれる野菜レシピを発信する仕事もあります。

Q2 | 仕事のやりがいを感じるときは、どのようなときですか?

A 住民の意識の変化を実感したとき

私の仕事は、住民から直接お話を聞く機会が多く、イベントに参加した住民から、「もっと野菜を食べます」といっていただいたときは、意識を変えるお手伝いができたかなとうれしくなります。自分の仕事が、住民の役に立っていると思えたとき、この仕事をして良かったとやりがいを感じます。

Q3 | 仕事をしたなかで印象に残っていること

A 利用者が楽しんでいる姿を見たとき

新型コロナウイルス感染症の影響で、しばらくできていなかったイベントを再開しようとしたとき、コロナ前のイベントの進め方を知っている担当者がいなかったので、職員全員で手探りのなか取り組みました。そうして、新しいコーナーなども入れながら準備を完成させ、イベント初日を迎えたとき、住民の楽しそうな姿を見て、無事に達成できたのだと安心しました。

☆ 心がけていること

短く、わかりやすい言葉で伝える

住民に何かを知ってもらうためには、住民の視点に立って考えることが大切だと思っています。チラシをつくるときは、むずかしい言葉を使わず、子どもから大人までがわかるような内容を心がけています。また、文字が多くなると読んでもらえないことがあるので、文字を少なく、でも必要な情報が入るよう考えています。デザインも工夫しています。

保健センター

保健センターは、市区町村に設置されており、地域住民の健康づくりのための活動の場となっています。

健康な生活を送るためのはたらきかけを行う

地域の保健センターは、保健師や管理栄養士、歯科衛生士などの資格をもつ人が、赤ちゃんから高齢者までのすべての住民を対象に、健康な生活が送れるよう健康相談、保健指導、健康診査（以下、健診という）など、身近な保健サービスを行っている施設です。

1 住民からの健康相談を受ける

「赤ちゃんがおっぱいを飲まなくて困っている」「子どもの発達が遅くて心配」「疲れているのに眠れない」「健診で血糖値が高い」など住民の健康にかんする相談を受けています。子育ての相談や療養の相談、からだやこころの相談など内容はさまざまです。

2 健康診査・保健指導を行う

赤ちゃんの健診や大人の生活習慣病予防健診などがあります。健診の結果をもとに、将来も健康で過ごせるよう、早寝早起きや食事・運動の工夫など、より良い生活習慣について、助言します。

3 地域の健康づくりをすすめる

住民や企業にはたらきかけて地域の健康づくりをすすめています。身近で健康に触れる機会をつくることで、健康に関心のない人も自然と健康になれるような地域づくりを進めます。健康にかんする講演会を開催するなど、健康について広める活動もしています。

コラム

若年者の健康づくり

全国どの地域に住んでいても40歳以上になると生活習慣病の予防を目的とした特定健診などを受けることができます。健診を受けた方の結果から、病気にならないよう、これまでの生活習慣を見直し改善できるよう保健指導を行っています。

足立区では、もっと若いころから良い生活習慣を身につけ、病気を予防することが大切と考え、若年者の健康づくりの取り組みをしています。

18〜39歳の方を対象に、Webで申し込みし自宅で簡易血液検査をする「スマホでドック」、保健センターで血液検査や食事・運動の工夫など健康づくりを学ぶ「40歳前の健康づくり健診」を行っています。

母子保健についてくわしく知ろう

保健センターの仕事のなかで、重要なもののひとつが、母子保健です。母子保健とは、赤ちゃんが、健康に育つよう保護者と子の健康を支援するものです。

4 妊娠中から切れ目なく支援する

妊娠が分かった人は住んでいる自治体に妊娠届を提出し、妊婦面接を受け、母子手帳を受け取ります。妊婦面接で、妊娠中の不安、出産に向けて心配ごとがないか確認したり、地域のサポート体制や相談先を紹介したりするなど、安心して健康な妊娠生活が送れるよう助言します。妊娠中から相談にのり、子育て期まで切れ目なくサポートをしています。

5 赤ちゃん訪問を行う

赤ちゃんが生まれてから3カ月以内に、保健師等が自宅を訪問して、赤ちゃんの発育・発達状態や保護者の心配ごとや健康状態などを確認し、助言します。また、保護者と赤ちゃんが孤立しないよう地域の子育て情報も伝えます。

● 赤ちゃんの健診

<赤ちゃんの健診>
3～4カ月児健診、6～7カ月児健診、9～10カ月児健診など（自治体によって時期は異なります）
1歳6カ月児健診、3歳児健診

<健診の内容>
身長・体重などの測定
医師による診察（発育や発達）
保健師や管理栄養士、歯科衛生士などによる健康教育や保健指導
必要に応じて、病院や専門の施設にかかれるように紹介することもあります。

6 生まれた子どもの健診を行う

赤ちゃんが生まれた後も健康に育っているか健診を行います。保護者が見通しをもって子育てできるよう支援します。

7 すこやかな子育てをささえる

子育て中の保護者は、子どもの成長に応じて不安や悩みを抱えることがあります。しかし、周囲に相談できる人がいなかったり、忙しくて相談する時間がとれなかったりする場合もあります。もっと気軽に相談できるよう、オンライン相談や身近な児童館などで出張相談なども行っています。同じ悩みをもつ保護者同士が交流したり、仲良くなったりできるよう工夫をし、親子のすこやかな子育てをささえています。

子育て中のお母さんからは、ミルクを飲んでくれない、うんちがでない、夜泣きが大変でねむれないなど、さまざまな相談を受けます

保健師の仕事についてくわしく知ろう

保健センターではたらく保健師は、地域の住民の健康を守るための仕事をしています。

保健師とは赤ちゃんから高齢者までのそこに住んでいるすべての住民が、健康な生活を送れるよう、健康相談や保健指導を行う専門の資格をもった人です。

看護師は、病気をした方の治療や療養にかかわるのに対し、保健師は、病気の予防や健康で過ごすための相談、健康で暮らせるための地域づくりを行っています。

⑧ 健康相談・保健指導を行う

住民の健康にかんする相談を受けたり、健康にかんする情報を伝えます。相手の話をよく聞き、気持ちによりそいながら、問題の解決方法を一緒に考えたり、助言したりします。将来起こりうる問題を見すえて、予防できることはないか考えながら支援します。

⑨ 家庭訪問を行う

保健師の原点といえる活動です。家庭を訪問して相談や保健指導を行います。

住民の自宅を訪問することで、実際に生活している環境や家族の様子などがわかり、より個人や世帯にあった支援を行うことができます。必要に応じて、相談がなくても家庭を訪問することもあります。

⑩ 地域の健康データにもとづいた保健活動を行う

地域の健康データを確認し、その特性にあわせて事業や健康づくりを行います。

子どもから高齢者まで健康に暮らせる地域づくりにむけて活動し、健康にかんする自治体の事業や政策をつくります。

保健センター

コラム

良い生活習慣は、夢や希望をかなえることにつながります

子どものころから早寝早起き、朝ご飯、歯みがき、運動などの良い生活習慣を身につけることは、とても大切だと言われています。朝ご飯は、脳と体を目覚めさせ、朝の光や適度な運動は、心をおだやかにするホルモン「セロトニン」や質の良い睡眠を誘うホルモン「メラトニン」を出します。それらが相互に作用しながら、健康なこころやからだをつくっています。

このように、良い生活習慣が健康なこころとからだをつくります。そして、健康な

こころやからだが、皆さんの夢や希望をかなえるための大切な土台となるのです。

🖊 はたらく人へインタビュー
保健師の仕事

江北保健センターの奥山美優さん

Q1 | どんな業務をしていますか?

A 地域住民が健康に暮らすためのサポート

対象者は赤ちゃんから高齢者までさまざまで、分野も母子保健、成人保健、精神保健など幅広いです。母子保健では、妊婦さんとパートナーに赤ちゃんを産んだ後の生活をイメージしてもらうためにファミリー学級を開いて、赤ちゃんを産んだ後のお母さんの体調の変化や、生活の変化について話します。直接自宅にうかがう赤ちゃん訪問には体重計を持参して、赤ちゃんの体重を量り、成長にあわせたアドバイスを行います。ほかにも、面接や、電話相談などの支援をしています。

Q2 | 仕事のやりがいを感じるときは、どのようなときですか?

A 住民との信頼関係やかかわりが支援につながるとき

私の仕事は、住民との信頼関係をきずくことからはじまります。その信頼関係をもとに相手によりそったかかわりが、住民の健康に良い方向にはたらかせ、病気を抱えている人でも、地域で元気に生活できるようになることにやりがいを感じます。

Q3 | 印象に残っていることはありますか?

A 支援をすることで本人がひとりで地域で生活できるようになったこと

心の病気を抱えている方が、治療に必要な入院を嫌がり、家族が困って相談にきました。私が家族と一緒に本人の受診につきそうなど、家族と本人の間に入り病院等と連携することで、無事に入院にいたり、病状が安定しました。退院後は、地域の福祉サービスを受けながら、ひとりで生活できるまでに回復しました。

病気を抱えていても、支援があれば、元気に生活できるということを経験しました。その経験から、自分の支援の役割を実感でき、とても印象に残っています。

☆ 心がけていること

他部署とのかかわりを大切にしています

私の仕事は、ひとりではできないものばかりです。さまざまな部署や施設と協力しあわなければ、成り立ちません。多くの部署とかかわることは大変な面もありますが、分からないことを相談できますし、私にはない考えや経験をもつ人とのかかわりは、とても刺激になります。さまざまな部署や施設と連携することで、より良い支援ができると感じます。

学校運営をささえる仕事 — 学務課

地域の子どもが、小学校や中学校で健康で安全な学校生活が送れるよう、学校にかんするさまざまな事業を行っています。

就学手続き、給食、施設管理など

学務課は、小・中学校への入学手続き、学校給食、学校の費用の一部支援、学校施設の管理などの仕事を行っています。

1 就学にかんすること

子どもが小学校や中学校に入学して教育を受けることを、就学といいます。学区域・学区域以外の学校への入学にかんする相談を受けたり、入学などに必要な手続きを受付けています。

2 学校給食にかんすること

小中学校の給食は、各学校の給食室で調理する自校調理式です。各学校の栄養士が献立を作成し、調理業務は民間業者に委託しています。

学務課では、各学校の給食が安全・安心に運営できるよう、調理業務委託契約や給食調理備品の買い替え、食器や白衣等の給食用消耗品の購入、学校栄養士への指導・助言などを行っています。

また足立区では、日本一「おいしい給食」をめざして、さまざまな取り組みを行っています。

3 就学費用の支援

学校に通う子どもの保護者に対して、費用の一部を援助する、就学援助という制度があります。
・入学準備にかかる費用
・授業で使う学用品の費用
・校外活動にかかる費用　など

保護者から申込書類を受付けて、学務課が審査します。

4 校外学習を行う施設の管理

小学校や中学校には、自然とふれあいながら、集団生活を学ぶ校外学習があります。足立区は、千葉県と栃木県の校外施設で、小学生が自然教室を行っています。バスの手配や、引率補助員の配置も学務課の仕事です。

 ミニ知識

学区域

学区域とは、住んでいる住所によって、通う公立の学校が決められる区域のことです。

ただし、足立区には学区域以外の学校を希望できる「学校選択制度」という仕組みがあります。また、私立の学校に学区域はありません。「学校選択制度」についての質問や相談も、学務課で受けています。

学校給食についてくわしく知ろう

学校給食は、成長期の児童、生徒の健康な心と体の発達に、大切な役割をはたしています。ここでは、足立区の学校給食の取り組みを紹介します。

★5 「おいしい給食」事業

足立区では、平成19年（2007年）から、「おいしい給食」という取り組みを始めています。そのための「おいしい給食担当課」という担当もつくりました。

この取り組みを始めたきっかけは、東京都で集められる生ごみのなかで、給食の食べ残しが多いことに気づいたことです。そこで、おいしい給食をつくれば、食べ残しが減ると考えたのです。ただし、おいしいだけではなく、栄養バランスを考えた給食をめざしました。

そうして、給食の食べ残しが減ってきたので、今度は、給食をつうじて、中学卒業までに次の3つの力を身につけることを、目標としました。

● 足立区がすすめる「あだち 食のスタンダード」

> 1. 1日3食野菜を食べるなど、望ましい食習慣を身につける
> 2. 栄養バランスの良い食事を選択できる
> 3. 簡単な料理をつくることができる

★6 「おいしい給食」の特徴

学校給食は、地域の給食センターが調理して、各学校に運ぶ方式と、各学校の給食室で調理する方式などがあります。足立区では、各学校で調理する方式で、温かいものは温かいうちに、冷たいものは冷たいうちに食べることができます。

調理は、うまみ調味料を一切使わず、鶏ガラやかつお節、昆布などからだしをとり、ルーやドレッシングも手づくりです。天然だしのうまみをいかした栄養バランスの良い給食は、将来の生活習慣病の予防にもなります。

★7 献立の工夫

給食の献立は、各学校にいる栄養士が考えます。とくに、大切な栄養を多くふくんでいるけれど、あまり人気のない食材を、おいしく食べてもらえるよう工夫しています。

各学校の献立は、おいしい給食担当課に集まるので、おいしく食べてもらえた献立の情報を、各学校の栄養士に伝えて、それぞれ活用してもらっています。おいしい給食担当課は、各学校の栄養士の仕事をささえる役目もしているのです。

給食調理で使用されている「回転釜」。約300人分のおかずが一気につくれます

学務課

さまざまな給食の取り組み

足立区では、日本一「おいしい給食」をめざして、さまざまな取り組みを行っています。

⭐8 給食メニューコンクール

足立区に住む小中学生を対象に、学校給食メニューのコンクールを開いています。子どもたちが、栄養バランスを考えた学校給食のメニューをつくることで、「食」の重要性や「給食」への関心を高めます。

コンクールは、毎年テーマを決めて、その食材を使ったメニューを応募してもらいます。令和5年度のテーマは、「足立区でとれる野菜の第4位の大根と、第5位のブロッコリーを使ったメニュー」でした。過去最高の8,010点（小学生：4,658点 中学生：3,352点）の応募がありました。

給食メニューコンクールで受賞したメニューの一部は、栄養士が学校給食向けに栄養バランスを整えて、新メニューとして、献立に加わります。

● 中学生の部、区長賞をとった献立

今年で15回目の開催！

②令和5年度 給食メニューコンクール

区内の小・中学生を対象に、平成21年度から始まり、今までになんと合計7万6,647件のメニューの応募がありました！子どもたちが考えたメニューは、どれもおいしそうで栄養バランスもバツグン！おいしい給食を毎日食べているからこそ、おいしいメニューがひらめくんですね！

▲令和5年11月に開催された中学生の部表彰式の様子

区長賞を受賞したメニューの一つをご紹介！

今年のテーマ
「足立区の野菜収穫量第4位の大根と第5位のブロッコリーを使ったメニュー」

【**主菜** 甘辛の豚バラ大根 **副菜** ペロリと食べきれるブロッコリーサラダ **主食** わかめごはん **汁物** ふわふわかき玉すまし汁】

〈受賞者からポイント紹介！〉
● ブロッコリーサラダは、ツナ缶を混ぜ、ブロッコリーが苦手な私でもおいしく食べられる味つけにしました！
● 豚バラ大根は、大根とお肉、両方に味がしっかりしみ込んでいて家族に大好評でした！

実際の給食メニューに取り入れるため、栄養士が調整中！

※受賞メニューすべてが給食メニューになるわけではありません。

そのほかの受賞メニューなど、くわしくはコチラ ▶

引用 あだち広報 令和5年12月10日号

⭐9 人気メニューをコンビニで販売

足立区では、エビが入ったホワイトクリームソースがご飯にかかっている「えびクリームライス」が、児童、生徒に人気です。昔からあるメニューなので、足立区で育った大人にとっても、なつかしい給食の味となっています。

その「えびクリームライス」は、数年前にコンビニエンスストアにて期間限定で販売されました。購入者からは、「子どもと親、祖父母の三世代で、えびクリームライスを楽しみました」という声も、よせられています。

「えびクリームライス」

⭐10 給食レシピを家庭で

人気の給食メニューのレシピは、インターネットの料理レシピサイトで見ることができます。足立区では、大人の食の意識を変えるきっかけとして、栄養バランスのとれた給食レシピを活用しています。

学校給食にかんする仕事

学務課の井上雅司さん

Q1 | どんな業務をしていますか?

A 調理機器の買い替えにかんすること

　私の業務は、おもに学校給食の調理機器の買い替えです。各学校の給食室には、回転釜や大型冷蔵庫など、15種類以上の給食調理機器が設置されています。一度に大量の調理を行うため、機器が故障すると、給食調理に支障がでます。

　そこで、購入して10 ～ 12年たった機器の買い替えを計画し、学校栄養士と連絡を取り合いながら、買い替えを調整していきます。

Q2 | 仕事のやりがいを感じるときは、どのようなときですか?

A 買い替えが終了したとき

　給食調理機器の買い替えは、学校の希望も聞きながら進めていくので、買い替えが終わるまでに長い時間がかかります。そのため、新しい機器が無事に設置されたところを確認したときは、ホッとしますし、学校から感謝の声をいただいたときに、達成感とやりがいを感じます。

Q3 | 印象に残っていることはありますか?

A 児童・生徒がおいしそうに食べる姿

　学校給食係となって、業務で学校訪問したときに給食を食べる機会があり、改めて、おいしい給食を食べていたことを感じました。友だちとおいしそうに給食を食べている児童の姿は、印象に残ります。また、給食室で一生懸命はたらく調理員の方々を見て、行っている業務の大切さを実感します。

★ 心がけていること

機器が壊れる前に対応すること

　給食調理機器の故障は、その日の給食調理に影響します。壊れる前に買い替えるためには、前もって計画を立てながら機器の状態もチェックしていかなければなりません。しかし、給食室に出入りできるのは、衛生上、調理員や学校栄養士など限られた人のみです。そこで、学校栄養士と良く連絡を取り合い、機器が壊れる前に対応できるよう心がけています。

専門的な保健衛生の仕事

生活衛生課

生活衛生課は、私たちの生活や健康を守るために、はば広く、専門的な取り組みを行っています。

食品衛生、環境衛生などにかかわる

生活衛生課では、私たちの生活や環境、食品、医事・薬事などの衛生にかかわる仕事をしています。

食品衛生監視員、環境衛生監視員、医療監視員、薬事監視員として、区長から任命をうけた公務員がはたらいています。

⭐1 食品衛生にかかわること

飲食店を始めるときに必要な、営業許可や届出にかんする手続きを行っています。また、飲食店を衛生的な状態に保ち、食中毒が起こらないように指導を行います。

飲食店の監視

⭐2 環境衛生にかかわること

住民の生活環境に密接にかかわっている施設が、設備や衛生などにかんする法律を守って営業しているかを監視し、必要に応じて指導を行います。

● 住民の生活環境にかかわっている施設

・理容、美容店　　　・クリーニング店
・ホテル　　　　　・銭湯　　　・映画館　など

⭐3 医事・薬事衛生にかかわること

診療所や薬局、ドラッグストアなどを始めるときに必要な、届出や許可にかんする手続きを行っています。また、私たちが安心して医療を受けられるよう、監視指導を行います。

● 生活衛生課ではたらく監視員

食品衛生監視員	飲食店や食品を製造・販売する施設の調査・検査、監視・指導を行う
環境衛生監視員	環境衛生にかかわる施設の調査・検査、監視・指導を行う
医療監視員	診療所などの医療機関の調査・検査、監視・指導を行う
薬事監視員	医薬品などを販売する会社や薬局の調査・検査、監視・指導を行う

食品衛生の監視についてくわしく知ろう

生活衛生課の仕事はいろいろありますが、ここでは食品衛生監視の仕事について紹介します。

⭐4 食品にかかわる施設の許可

飲食店の営業や、食品の製造・販売を始めるときには、許可を受けたり届出を行ったりする必要があります。食品衛生監視員は、許可の申請があったら、そのお店や工場が、衛生にかんする法律の基準を満たしているかどうかを、現場に行って検査します。

検査の結果、基準を満たしていれば、許可手続きを進めます。一方、基準から外れていれば、改善するよう指導します。

⭐5 営業している施設への監視・指導

すでに営業している施設への監視や指導も行っています。施設に食品衛生監視員が立ち入って、不衛生な食品や、基準に合わない食品を製造・販売していないか調べ、改善すべき部分があれば指導します。

⭐6 食中毒や食品の事故などを調べる

食中毒が疑われる場合、患者や飲食店、病院などから、生活衛生課に連絡が入ります。

食品衛生監視員は、患者からの聞き取り、飲食店などの調査を行います。原因が分かったら、再び食中毒が起こらないよう指導したり、原因となる食品の販売を禁止したり、場合によっては、営業停止などの処分を行うこともあります。

● 食中毒の例

> 食中毒が発生。調査の結果、カンピロバクターという細菌が見つかった。食事を提供した飲食店に、7日間の営業停止の処分を行った。

> 釣った魚を刺身で食べて食中毒が発生。調査の結果、アニサキスという寄生虫が見つかった。患者に、調理のしかたなどの予防方法を伝える。

● 食中毒の疑いが発生したら

食中毒疑いの届出が入る

⬇

生活衛生課による調査

<患者に>
- いつ、どこで、どんなものを食べたか
- どのような症状が出たか
- 検便　　など

<飲食店、食品事業者に>
- 施設への立ち入り
- 客の数、ほかに具合の悪い客はいたか
- 原因と疑われるメニュー、調理方法
- 衛生管理の方法
- 仕入れ先の情報　　など

⬇

原因の特定

- 原因施設の特定
- 原因食品の特定

⬇

対策

- 衛生面の改善を指導
- 原因となった食品の廃棄を指導
- 営業停止、営業禁止　　など

アニサキス

7 食品の抜き取り検査を行う

食品による事故を防ぐために、製造・販売されている食品のなかから一部を抜き取りして、細菌や添加物などが基準の範囲内であるか検査を行います。検査は、生活衛生課の衛生試験所で行うほか、複雑な検査は、外部の検査機関に依頼します。

検査の結果によっては、衛生的な食品の製造について指導し、回収や廃棄を指示します。

8 食品にかんする相談を受ける

生活衛生課には、住民から、食品にかんするさまざまな相談がよせられます。

・購入した食品の味がおかしい、変なにおいがする

・購入した食品に異物（虫など）が入っていた

・購入したばかりなのに、カビが生えていた

・飲食店で食事後、体調が悪くなった

こうした情報を元に、原因を特定するための調査をすることもあります。

9 食品衛生にかんする知識を広める

食中毒の予防、食の安全にかんする講習会を行ったり、チラシを配ったりするなどして、住民に食品の衛生にかんする知識を高めてもらう活動を行っています。

また、飲食店や食品の製造・販売を行っている施設に対しても講習会を行い、正しい食品衛生の知識を伝えます。講習会の講師は、食品衛生監視員が行います。

● 食中毒予防のチラシ

生活衛生課では、食中毒予防のパンフレットをつくっています

✎ ミニ知識

食中毒の原因

食中毒のおもな原因は細菌やウイルスです。

・カンピロバクター：十分に加熱されていない肉（特に鶏肉）や、動物のふんに汚染された飲み水などが原因となります。食後2〜5日で、下痢、発熱、はきけ、腹痛、筋肉痛などがあらわれます。

・腸管出血性大腸菌（O157など）：十分に加熱されていない肉や生野菜などが原因となります。食後1〜14日で、はげしい腹痛、下痢などがあらわれ、重症になると死亡することもあります。

・ノロウイルス：カキなどの貝や、ノロウイルスがついた手で調理した食品などが原因となります。食後1〜2日でおう吐や下痢などがあらわれます。

生活衛生課

はたらく人へインタビュー
食品衛生監視員の仕事

Q1 どんな業務をしていますか?

A 食品による事故などを防ぐ

安全・安心な食品を流通させ、食品による事故を防ぐための仕事を行っています。具体的には、飲食店や学校などの給食施設、食品工場などへ立ち入りして、設備や食品の取り扱いにかんする監視や指導を行います。また、食中毒や食品の異物混入などの原因を調べるために、消費者（患者）や飲食店、製造・販売会社に対して、調査を行います。また、定期的な食品検査を行ったり、住民や食品事業者に向けた講習会を開き、食品衛生にかかわる知識を広めたりする活動を行っています。

保健所生活衛生課の先崎舟平さん

Q2 仕事のやりがいを感じるときは、どのようなときですか?

A 役立つ情報を伝えられたとき

食品衛生にかんする講習会を開くたびに、やりがいを感じています。保育園の給食業者を対象にした講習会では、給食で起こりやすい食中毒の例をあげて、予防方法などを説明しました。

2021年6月に法律が改正され、食品を取り扱う事業者は、食品による事故を起こさないため、決められた方法で衛生管理を行うこととなりました。講習後の質問が増えているので、役に立つ情報を提供できることが、やりがいです。

Q3 印象に残っていることはありますか?

A 食品が原因の相談がなくならない

住民に、食中毒の怖さや予防方法を伝えているつもりですが、それでも、加熱が不十分な食肉が原因と思われる体調不良などの相談を受けます。「危険があるのになぜ?」と思うこともありますが、住民に理解してもらえるような情報提供がまだまだ足りないのだと反省しています。

☆ 心がけていること

監視・指導を理解してもらうために

私たちは、監視・指導する立場にあるため、食品事業者の方から歓迎されないことがあります。しかし、ふだんから信頼関係を深めておけば、指導内容を理解してもらいやすく、問題の改善につながります。また、いざというときに頼りにしてもらえる存在になると信じています。

これからも、食中毒などの食品にかかわる事故を防ぐために、みなさんの力になりたいと思っています。

生涯にわたる学びをささえる仕事

学ぶ機会は学校だけではありません。豊かな人生を送るために、地域の施設を利用したさまざまな学習活動があります。

こころの健康、体の健康を支援する

学校以外で、身近にある学びの場所には、地域の学習センターや図書館などがあります。そうした学びの施設をとりまとめているのが、生涯学習支援課です。市区町村によっては、生涯学習課、学習支援課などの部署名のところもあります。

① 足立区には計14施設

人は、生きがいのある充実した人生を送るために、勉強や仕事だけでなく、生涯にわたって学んでいくことが大切です。その学びの場所となるのが、生涯学習施設です。

足立区には、地域に13カ所の学習センターと、生涯学習の中心的な場所として、生涯学習センターが1施設あります。

これらの施設では、子どもから高齢者まで、すべての年代を対象に、音楽、料理、英会話など、さまざまな講座やイベントを開催しています。また、住民のサークルや団体が使用できる部屋があり、区民のサークル活動をささえています。

② 指定管理者の決定にかかわること

足立区にある生涯学習施設を運営しているのは、民間の会社です。住民からのさまざまな要望にこたえ、住民へのサービスを良くするために、効率的な考え方とさまざまなアイデアをもっている民間の会社に、運営をまかせているのです。

まかせられた会社は、指定管理者といいます。指定管理者は、足立区の審査によって決まります。

生涯学習支援課は、生涯学習施設の指定管理者の募集から、審査に必要な資料づくりまでを担当しています。実際の審査は、大学教授や専門家などが、応募してきた会社のなかから指定管理者を決めます。その審査の日程の調整を行うのも、生涯学習支援課の仕事です。

③ 生涯学習施設の運営にかかわること

足立区の生涯学習施設をまかされた指定管理者が、きちんと施設を運営しているかを確認するのは、生涯学習支援課です。

定期的に施設を訪問して、管理者から話を聞いたり、年に1回、しっかりと時間をかけて評価をしたりしています。

区の図書館やスポーツ施設なども指定管理者が管理しています

生涯学習センターについてくわしく知ろう

足立区の生涯学習施設の中心的な役割をになっている生涯学習センターの活動について紹介します。

★4 講座

生涯学習センターでは、大学で学ぶような専門的講座のほか、子ども向けの講座、イベントが開催されています。

● 講座の例

文学の講座

世界史の講座

★5 イベント

たとえば、毎年、恒例のお正月イベントとして、獅子舞やお琴演奏、お相撲、書き初めなど、楽しくなつかしいイベントが開催されています。

★6 サークル活動

生涯学習センターの講座から、語学、ヨガ、書道などのサークルが生まれて、それぞれ活動しています。生きがいづくり、仲間づくりのきっかけになっています。

● 子どもに人気の教室

プログラミング教室

子ども向けプログラミング言語Viscuit（ビスケット）とタブレットを使い、基本的なプログラミングを学ぶ講座です。描いた絵をスクリーンで動かすことができるため、人気があります

地域学習センターの紹介

足立区に13ある地域学習センターのひとつである「花畑地域学習センター」を紹介します。

7 花畑地域学習センター

おもな学習設備として、以下のものがあります。

- 学習室（3室）：研修や会議などに使用。
- レクリエーションホール：ダンスや合唱などの練習に。
- 工作室：作品から小物づくりまで。
- 教養室（和室）：茶道などのおけいこに使用。
- 料理室：調理台と調理器具、食器を用意。

また、センターには、図書館、体育館、区民事務所などの施設が入っています。

8 講座

子どもや親子向けの講座には、工作教室、絵画教室などがあります。大人向けの講座には、うたの教室や、書道教室、川柳教室などがあります。

子どもを対象にした「ダイナミックおえかき会」

9 イベント

毎年、秋に、サークルが中心となって開催する「ふれあいまつり」を開催しています。作品の展示コーナーやコーラスの発表、新体操の発表会など、ふだんの活動の成果を発表する場です。

10 ボランティア活動

生涯学習センター、地域学習センターでは、講座で学んだ知識をいかして、地域や区民のために活躍するボランティアを養成しています。

花畑地域学習センターでは、建物のまわりにある花壇の管理を行う花壇ボランティアを養成しています。

ボランティアは、足立区が行う「花いっぱいコンクール」に参加して、花を育てています

生涯学習支援課

はたらく人へインタビュー
学習センターの運営を支える仕事

生涯学習支援課の前田祥希さん

Q1 どんな業務をしていますか?

A 指定管理者の選定・管理

区内の学習センターを運営する民間の業者（指定管理者）を選び、その業者がきちんと運営しているかどうかを評価する仕事をしています。

指定管理者を選ぶときは、まず、私たちが学習センターをどのような施設にしていきたいなどの方針や基準にしたがって運営業者を募集します。審査をするのは、外部委員会ですが、その審査会のための資料づくりや、審査会の記録などの事務は私たちの役割です。

指定管理者として運営が始まったら、施設を訪問して、施設の管理運営が適切に行われているか確認に行きます。

講座やイベントを考えて、運営するのは指定管理者ですが、私たちも「こんなふうにしてはどうですか?」と一緒になって考えることもあります。

Q2 仕事のやりがいを感じるときは、どのようなときですか?

A 利用者が楽しんでいる姿を見たとき

講座を見学したときに、利用者が楽しそうにしている姿を見たときや、「参加して良かった」という声を聞いたとき、この仕事にかかわれて良かったと感じました。

Q3 印象に残ったことは?

A 活動の広がりを感じたとき

住民の方から、地域にテノール歌手がいることを教えてもらい、その人にセンターの音楽イベントに参加してもらいました。歌を聴いた方たちがとてもよろこんで、なかには涙を流す人もいました。一部の地域での音楽活動から多くの人へ広がっていくことを実感したイベントでした。

☆ 心がけていること

第三者の立場で積極的に発言を

生涯学習支援課の立場では、直接、講座やイベントの企画や運営にかかわらないので、提案や助言をするのは、少し気が引ける部分がありました。しかし、生涯学習活動をより良くするためには、区としての意見も必要であると思いなおし、積極的に提案や助言を行うよう心がけています。

41

運動・スポーツにかかわる仕事

スポーツ振興課

住民が、運動・スポーツをとおして、楽しく生活していくための事業を行っています。

スポーツに親しんでもらう環境づくり

スポーツ振興課の仕事は、住民に運動・スポーツの楽しさに気づいてもらうための機会づくりや、運動施設の運営管理です。

 運動・スポーツのイベントや教室を開催

住民が、運動・スポーツに気軽に参加し、その楽しさに気づくきっかけとなる機会をつくる目的で、さまざまな運動・スポーツイベントを開催します。イベントは、スポーツを実際に体験するものもあれば、観戦するものもあります。

また、地域のスポーツ団体や会社と協力して、ウォーキング教室や体操教室などを、定期開催しています。イベントや教室の情報は、役所のホームページ、チラシ、広報紙などに掲載し、問い合わせはスポーツ振興課で受けています。

 公共のスポーツ施設の運営管理

地域のスポーツ施設の運営管理は、役所の職員が行っている場合もあれば、民間の会社が、役所からまかされている場合もあります。

足立区には、総合スポーツセンターを始め、運動場、温水プールなどの公共のスポーツ施設がいくつもあります。これらの施設の運営管理は、民間の会社が行っていますが、施設の点検や備品の管理、教室の開催、施設を利用する団体の登録審査などは、スポーツ振興課の仕事です。

 障がい者の運動・スポーツ

障がい者が、地域の運動・スポーツに参加できる環境づくりに取り組んでいます。

障がい者スポーツにかんするさまざまなイベントを開催し、体験したり、観たりしてもらうことで、障がい者スポーツを広く知ってもらえるよう活動しています。

また足立区では、障がい者から、スポーツにかんする相談や問い合わせを受ける相談窓口として、「あだちスポーツコンシェルジュ」という担当係を設けています。

コラム

 スポーツ協会

- スポーツ協会は、地域のスポーツ、レクリエーションを盛り上げ、住民が健康で豊かな生活を送ることのできる社会づくりに貢献することをめざした団体です。地域のスポーツ団体をとりまとめる立場でもあります。スポーツ振興課とも協力しながら、運動・スポーツのイベントを行い、指導者の育成なども行っています。

運動・スポーツイベント、教室についてくわしく知ろう

たくさんの方に参加をしてもらえるよう、年間を通じてさまざまな運動・スポーツイベントを行っています。

一日だけ参加できるイベントや、定期的に行う教室形式のイベントも開催しています。

ここでは、足立区のスポーツ振興課がかかわっている運動・スポーツイベントを紹介します。

4 スポーツカーニバル

毎年、スポーツの日に、地域のスポーツ施設で、さまざまな運動・スポーツを体験できるイベントです。「きっと見つかるあなたのスポーツ」をテーマに、運動・スポーツの楽しさを伝えています。このイベントは、スポーツ振興課と足立区スポーツ協会などが協力して開催しています。

空手や柔道、水泳、ラグビー、サッカー、ゴルフ、卓球、トランポリンなどさまざまなスポーツを体験することができます。また、風船バレー、モルックなどのレクリエーションや、体力測定なども行っています。子どもから高齢者まで参加できるイベントで、なかには親子で一緒にできるものもあります。

5 スポーツ観戦

スポーツを「する」だけではなく、「見て」楽しむイベントも開催しています。

足立区は、サッカーＪリーグに所属している「東京ヴェルディ」と協力してスポーツ事業に取り組んでおり、ＪリーグやWEリーグの試合を無料や割引で見られる「区民観戦デー」を開催しています。

また、バスケットボールの関東社会人選抜チームと関東大学連盟選抜チームによるオールスター戦や、関東の女子フットサルチームのリーグ戦などを開催しており、迫力ある試合を間近で見て、応援しながらスポーツの魅力を楽しんでもらっています。

観戦イベント時には、区民が参加できる体験教室を行うなど、より多くの方にスポーツの楽しさを味わってもらえるようイベント企画を工夫して行っています。

6 パークで筋トレ・ウォーキング教室

65歳以上の高齢者を中心に、公園や広場などの身近な場所を利用して、体操やストレッチ、ウォーキングなどの健康体力づくりを行う教室を開催しています。無料で、前もって申し込む必要がないため、気軽に参加できる教室です。

ウォーキング教室では、指導員が正しい歩き方を指導してくれるので、初心者でも安心して参加できます。

コラム

スポーツ活動をささえる人

- 運動・スポーツイベント、教室は役所の職員だけでなく、地域の方々にご協力をいただきながら行っています。
- たとえば、地域には「スポーツ推進委員」

という、役所と住民をスポーツでつなげるコーディネーター役の方たちがいます。彼らは、地域のいろいろな運動・スポーツ活動に協力し、スポーツの指導やスポーツの楽しさを伝える活動を行っています。

障がい者スポーツの取り組みについてくわしく知ろう

足立区には、障がい者が気軽に運動・スポーツに取り組むことができるよう、スポーツコンシェルジュという専用の相談窓口があります。

7 スポーツコンシェルジュをつくったきっかけ

足立区がスポーツコンシェルジュを設置したきっかけは、「東京2020オリンピック・パラリンピック競技大会」です。

足立区では、障がいがあるために運動・スポーツに気軽に参加できない方や、参加したいと思っても、どこでスポーツができるか分からないという方がいる、という課題がありました。

そこで足立区では、オランダ王国と連携して、「パラスポーツで社会を変える」というプロジェクトを始め、オランダの取り組みを参考にして「あだちスポーツコンシェルジュ」をつくりました。

8 「あだちスポーツコンシェルジュ」の役割

「あだちスポーツコンシェルジュ」は、障がい者が運動・スポーツにかんする困りごとがあったときの相談窓口です。

おもな相談は、「どこでスポーツができますか?」「こんな運動をしたいのですが」というものですが、

障がい者が通う施設から、「利用者に施設内で運動をさせたいが、どういう内容が良いか?」という相談を受けることもあります。

相談を受け、障がい者のスポーツ教室を紹介したり、足立区内外の障がい者のスポーツ団体などを紹介しています。また、地域のスポーツ団体に、障がい者が参加できるかどうかを問い合わせることもあります。

9 障がい者スポーツを広げていくために

障がい者が運動・スポーツに気軽に参加できるようにするためには、相談に乗るだけではなく、障がいがあっても運動・スポーツを楽しめるような環境をつくっていく必要があります。

現在、スポーツコンシェルジュの担当は1名ですが、相談以外にもさまざまな取り組みを進めていくため、パラスポーツ推進担当が2名いて、計3名で障がい者スポーツ全般を担当しています。

10 障がい者スポーツのイベント、教室

足立区では障がい者スポーツのイベントや障がい者向けの運動・スポーツ教室を行っています。足立区は東京ヴェルディと、障がい者スポーツを中心とした運動・スポーツの協力体制を組んでおり、イベントの運営や教室での参加者への指導は、チームのスタッフにお願いしています。スポーツコンシェルジュ担当やパラスポーツ推進担当は、こうしたイベントのチラシなどを作って宣伝をしたり、参加者の募集などを行っています。

ボッチャは、子どもからお年より、障がいのある方まで幅広い人が参加できるスポーツです

スポーツコンシェルジュがボッチャを紹介しているようす。

障がい者スポーツにかんする仕事

スポーツ振興課の板東一希さん

Q1 | どんな業務をしていますか?

A スポーツコンシェルジュです

障がいのある方の運動・スポーツについての相談に対応しています。「自分の障がいにあったスポーツを知りたい」「そのスポーツができる場所を知りたい」といった相談に対して、地域で参加できるスポーツを紹介するのがおもな仕事です。

Q2 | 仕事のやりがいを感じるときは、どのようなときですか?

A 喜びの声を聞いたとき

紹介したスポーツに参加した後に、本人や家族の方から「楽しかった」「またやりたい」という感想をいただいたときです。

Q3 | 印象に残っていることはありますか?

A ようやく活動先がみつかった

知的障がい者の方から、何かスポーツがしたいと相談を受けたことがあります。スポーツ関係の団体や施設などに問い合わせをして、いくつか紹介したものの、その方には合わなかったようで、なかなか活動先が定着しませんでした。時間はかかりましたが、ようやくあるサッカークラブに本人が参加できるようになったときは、とても安心しました。

Q4 | これからの目標について教えてください。

A みんながスポーツに親しめる社会

東京2020大会などで、障がい者スポーツは広がってきましたが、まだ日常的に運動できる場所は少ないです。スポーツを通じてすべての方に障がい者に対する理解をもっと深めていただきたいと考えています。

そして、障がい者の方にも、自分は運動できないと思い込まず、階段の上り下りや、散歩からでもいいので、運動に親しんでほしいです。

☆ 心がけていること

スポーツをしたいという思いを大切に

どんな障がいがあっても、その人に合ったスポーツが必ずあると信じて相談を受けています。こちらの意見を押しつけずに、相談者の「スポーツをやりたい」という思いを尊重して、ていねいに対応することが大切だと考えています。

さくいん

● 編　お仕事研究会
● 編集　ニシ工芸株式会社（余田雅美、佐々木裕、髙塚小春）
● 装丁・デザイン　ニシ工芸株式会社（安部恭余）
● 企画　岩崎書店編集部
● イラスト　福本えみ、PIXTA
● 写真協力　足立区報道広報課

＊この本に掲載されている情報は、特に記載のない場合、2024年3月現在のものです。

まちをつくる　くらしをまもる　**公務員の仕事**　2. 福祉・健康関連の仕事

2025年1月31日　第1刷発行

編　　　お仕事研究会
発行者　小松崎敬子
発行所　株式会社岩崎書店
　　　　〒112-0014　東京都文京区関口2-3-3 7F
　　　　電話（03）6626-5080（営業）／（03）6626-5082（編集）
　　　　ホームページ https://www.iwasakishoten.co.jp
印刷　　株式会社光陽メディア
製本　　大村製本株式会社

ISBN 978-4-265-09220-8　48頁　29×22cm　NDC318
©2025 Oshigoto Kenkyukai
Published by IWASAKI Publishing Co., Ltd.　Printed in Japan
ご意見・ご感想をお寄せ下さい。e-mail:info@iwasakishoten.co.jp
落丁本・乱丁本は小社負担でおとりかえいたします。

本書のコピー、スキャン、デジタル化等の無断複製は著作権法上での例外を除き禁じられています。本書を代行業者等の第三者に依頼してスキャンやデジタル化することは、たとえ個人や家庭内の利用であっても一切認められていません。朗読や読み聞かせ動画の無断での配信も著作権法で禁じられています。

＼ まちをつくる くらしをまもる ／

公務員の仕事

全5巻

1. くらしの窓口

協力：足立区役所　編：お仕事研究会

2. 福祉・健康関連の仕事

協力：足立区役所　編：お仕事研究会

3. まちづくりの仕事

協力：足立区役所　編：お仕事研究会

4. 教育・子ども関連の仕事

協力：足立区役所　編：お仕事研究会

5. くらしをまもる仕事

協力：足立消防署　編：お仕事研究会

岩崎書店